Cuentos para niños

que se duermen enseguida

Cuentos para niños
que se duermen enseguida

Pinto & Chinto

kalandraka

Este libro de cuentos para antes de dormir es un libro de cuentos cortos. Los cuentos para antes de dormir han de ser cortos, y no como aquel cuento tan largo que cuando lo acababas de contar ya era hora de que el niño fuese al colegio. O aquel cuento largo en el que los niños se quedaban dormidos por la mitad, y luego tenían que soñar el final. Aunque el cuento más largo que nosotros conocemos es tan largo que cuando lo acabas de contar el niño ya es adulto. Así que lo mejor para contar a los niños cuando se acuestan es un cuento breve.

Por la misma razón le hemos puesto al libro un título más corto del que habíamos pensado en un principio. Este libro se titulaba *Cuentos para niños que se duermen enseguida después de que su padre, o su madre, o su abuela, o una tía lejana, se los lean cualquier noche de las muchas que tiene el año y con poco esfuerzo, porque la verdad es que son unos cuentos realmente cortos y no demasiado largos.* Pero al final le hemos puesto el título que podéis ver en la portada.

Y ya vamos terminando, no vaya a ser todo breve en este libro menos la presentación.

Ahí van los cuentos.

PINTO & CHINTO

Índice

El pirata Muchabarba

El barco pirata del pirata Muchabarba se hundió en medio del océano. El pirata Muchabarba estuvo tres horas en el agua y, cuando creía que se iba a ahogar, vio tierra a lo lejos. Nadó, nadó, nadó, y llegó hasta un islote. El islote era tan pequeño que solo cabía una persona. En aquel islote diminuto no había nada de nada. Era una simple roca rodeada de océano.

Pasaban los días y el pirata Muchabarba tenía mucha hambre y mucha sed, puesto que en aquel islote diminuto no había nada de nada.

Pasaron aún más días y el pirata tenía aún más hambre y más sed. Se sentó, abatido, y entonces fue cuando vio la ramita que había brotado en su pata de palo. Recordó que la pata de palo se la había hecho un carpintero con madera de manzano verde. Por eso brotó la ramita en la pata de palo.

Con el tiempo, brotó otra ramita. Y luego otra. Y otra. Y llegó un día en que la pata de palo se llenó de manzanas, y el pirata Muchabarba sació su hambre. Eran unas manzanas muy jugosas, y sació su sed.

Cuando su pata de palo se convirtió en un manzano grande, el pirata Muchabarba lo cortó y construyó con él un barco.

Y así fue como al fin pudo huir de aquel islote diminuto en medio del océano.

El pozo de los deseos

Hasta el pozo de los deseos se acercó un hombre que deseaba ser rico. Antes de arrojar la moneda dentro, se asomó para ver si en lo más hondo era como un pozo normal, con su agua y demás. Pero allí todo aparecía muy oscuro, así que se asomó más. Se asomó tanto que perdió el equilibrio y se precipitó al fondo del pozo.

En el fondo del pozo de los deseos no había agua, sino todas las monedas que antes que él habían arrojado miles de hombres, mujeres y niños para formular su deseo. Ahora ese hombre había cumplido su deseo de ser rico.

Pero enseguida se dio cuenta de que allí no había nada que comprar, con lo que toda aquella fortuna le resultaba inútil. Así que arrojó su moneda encima de las demás y deseó con todas sus fuerzas que alguien lo sacase del pozo.

El príncipe y la princesa

El príncipe de cabellos dorados y la princesa de cabellos dorados vivían en la torre más alta del castillo. Cuando el príncipe de cabellos dorados y la princesa de cabellos dorados se dieron un beso se oyó un «¡pop!», y el príncipe y la princesa se transformaron en ranas. Entonces dejaron la torre y se fueron a vivir al agua del foso del castillo. Y fueron felices y comieron perdices, digo moscas.

La señora y los bomberos

La señora de bata azul y rulos en el pelo se asomó al balcón y gritó:

—¡Socorro! ¡Auxilio! ¡Bomberos! ¡Bomberos!

Llegaron los bomberos en su coche rojo, con la sirena a toda potencia.

La señora de bata azul y rulos en el pelo seguía gritando:

—¡Socorro! ¡Bomberos!

Un bombero apoyó la escalera en la fachada del edificio y llegó, manguera en mano, hasta el balcón donde voceaba la señora de bata azul y rulos en el pelo.

—¿Qué sucede, señora de bata azul y rulos en el pelo?

—¡Mis geranios! ¡Mis preciosos geranios se están secando!

En el balcón había varias macetas con geranios medio amarillos. El bombero abrió la manguera y regó los geranios, que a los pocos días ya estaban verdes y con algunas flores.

El viento

El viento se despierta muy temprano y se va al trabajo. El viento tiene por delante una dura jornada laboral: mueve los molinos de viento, seca la ropa de la gente, desprende las hojas de los árboles, empuja los veleros...

–¡Menos mal que el mar no es cuesta arriba! –dice.

El viento trabaja mucho, pero también tiene su tiempo libre. El viento, en su tiempo libre, se divierte todo lo que puede: vuela los sombreros a los caballeros, despeina a las señoras, cierra las puertas de golpe...

El viento se divierte todo lo que puede. A veces, mientras silba su eterna canción, se lo puede ver en forma de tornado, dando vueltas y más vueltas. Porque un tornado no es sino el viento bailando.

El reloj de Emma

Emma era aún muy pequeña, y sus padres no le compraban un reloj. A Emma le gustaba mucho el de su padre, con su esfera blanca y sus agujas doradas, y su segundero que se movía cada segundo. Entonces Emma se pintó con bolígrafo azul un reloj en su muñeca izquierda. Primero dibujó la esfera, luego la correa y por último las agujas. El reloj pintado de Emma marcaba las diez y cuarto. El reloj pintado de Emma era muy bonito. Lo volvió a mirar pasados cinco minutos, y marcaba las diez y veinte.

La montaña

La primera montaña que hubo en el mundo era una montaña muy ambiciosa. La primera montaña que hubo en el mundo quería ser aún más alta de lo que era. Se puso a crecer, a crecer, a crecer, y creció tanto que se dio con la cabeza contra la Luna. A la montaña le salió un enorme chichón, y para aliviarse se aplicó hielo.

Por eso hoy las montañas más altas tienen hielo en la cima.

La bruja y el leñador

La bruja del bosque estaba enamorada del leñador del bosque. Pero al leñador del bosque no le gustaba la bruja del bosque, porque era muy fea.

Entonces la bruja del bosque decidió elaborar una pócima para que, al beberla, el leñador del bosque cayese enamorado de ella.

La bruja del bosque encendió el fuego, puso encima su caldero de latón y metió en él un ojo de sapo miope, tres alas ahumadas de murciélago, baba de escarabajo, uñas de gato negro con manchas blancas, dos pelos de la nuca de un mono y no sé cuántas cosas más. Le dio a beber la pócima al leñador del bosque, pero el leñador del bosque no cayó enamorado de la bruja del bosque.

Entonces la bruja del bosque volvió a encender el fuego, volvió a poner encima su caldero de latón y metió en él dos litros de agua, un kilo de costilla de cerdo, una pizca de sal, una cebolla, dos zanahorias, un pimiento, tomillo, laurel, perejil, dos dientes de ajo, un tomate y un chorrito de aceite de oliva. La bruja del bosque elaboró un estupendo guiso que le dio a comer al leñador del bosque. Y al leñador del bosque le gustó tanto el guiso que se enamoró de la bruja del bosque, porque el leñador del bosque era muy comilón.

La casa de Bruel

La seta donde vivía Bruel, el enanito, era una de las más céntricas de aquel pueblo de setas. La seta donde vivía Bruel, el enanito, era muy coqueta y tenía unas vistas magníficas. Todo iba muy bien para Bruel en su flamante seta.

Todo iba muy bien hasta que a Bruel la casa se le quedó pequeña, porque se casó y tuvo tres hijos. Necesitaba una seta más grande para vivir, y puso a la venta la que tenía.

Bruel colocó delante de su seta un letrero que decía

SE VENDE

pero pasaban las semanas y lo que ofrecían por ella era poco, porque la seta era pequeña.

Cuando más desesperado estaba, Bruel, el enanito, tuvo una idea estupenda. Su casa era una seta comestible, y una de las más apreciadas. Recordó que los humanos llegan a pagar mucho dinero por las setas. Así que vendió su casa a un cocinero, quien la preparó en su restaurante con arroz y carne.

Héctor y el muñeco de nieve

El día amaneció nevado, y en las aceras los niños hicieron muñecos de nieve. Héctor también hizo uno. Colocó primero una gran bola de nieve. Encima de esa gran bola colocó otra un poco más pequeña. Y encima de esta, colocó otra aún más pequeña para la cabeza.

Héctor le puso un viejo sombrero de copa que había encontrado en el desván de su casa. A modo de nariz, le colocó una zanahoria.

Y entonces sucedió que del interior del sombrero de copa, que había pertenecido a un mago, salió un conejo y se comió la nariz del muñeco de nieve, que se la había hecho Héctor con una zanahoria.

La margarita

Rosaura quería saber si Miguel la amaba. Tomó una margarita y le iba arrancando los pétalos mientras decía:

—Me quiere... No me quiere... Me quiere... No me quiere...

Rosaura estaba ansiosa por ver si salía «me quiere» o si salía «no me quiere».

Y el caso es que salió «no lo sé», porque la margarita no tenía ni idea de si Miguel amaba a Rosaura.

Música de la calle

El músico callejero colocó en el suelo el sombrero de las monedas y empezó a tocar su saxofón. Al rato se oyó el llanto de un bebé. Una mujer se asomó a la ventana y le dijo al músico:

—¡Oiga usted! ¡Que ha despertado a mi niño!

Entonces el saxofonista callejero se puso a tocar una nana y el bebé volvió a dormirse.

Pesca en el lago

El pescador llevaba dos horas en su barca. De repente sintió un tirón en la caña. Recogió el sedal y vio lo que traía el anzuelo. Muy irritado, exclamó:

—¡Otra bota!

El pescador la desenganchó del anzuelo y la arrojó por la borda.

Una vez más, y gracias a su excelente camuflaje, el pez bota se había salvado.

El castillo de naipes

Aquella tarde Hugo había jugado con sus coches en miniatura, y con su peonza, y había completado dos puzzles.

«¿Y con qué más puedo jugar?», se preguntó.

Recordó que por la mañana su padre, su madre, su abuelo y una de sus tías habían echado una partida a las cartas. Hugo sabía dónde guardaban la baraja, así que fue a buscarla. Hugo no sabía jugar al póker, ni al bridge, ni a canasta. A lo único que sabía jugar Hugo con la baraja era a hacer castillos.

Y se dispuso a construir uno encima de la mesa del salón. Hugo construía su castillo con mucha pericia, colocando los naipes con sumo cuidado. Pero cuando estaba a punto de terminarlo, el castillo comenzó a temblar y al instante se desmoronó. Hugo volvió a empezar de nuevo y puso aún más cuidado al colocar los naipes, pero otra vez el castillo tembló y se vino abajo. Así una y otra vez, hasta que Hugo se cansó y guardó la baraja. Hugo se dijo que no valía para construir castillos de naipes. Pero el castillo no se caía por culpa de Hugo. El castillo de naipes se caía porque el rey de corazones decía que él era el dueño de aquel castillo; y el rey de diamantes decía que no, que él era el dueño de aquel castillo; y el rey de tréboles decía que no, que él era el dueño de aquel castillo; y el rey de picas decía que no, que él era el dueño de aquel castillo.

Y se peleaban, y al pelearse derribaban el castillo.

Animales de papel

El campeonato de papiroflexia dio comienzo sobre las siete de la tarde.

El primer concursante agarró una hoja de papel y empezó a doblarla por aquí, a doblarla por allá, a hacerle otra doblez, y otra doblez, y otra, y otra, y ante los miembros del jurado apareció un dinosaurio precioso y lleno de detalles. Incluso se le podían ver los afilados dientes.

Y así, un concursante tras otro iban elaborando figuras de gran mérito. El último concursante era un señor mayor de pelo blanco, bigote blanco y unas gafas blancas en la punta de la nariz. Agarró una hoja de papel y empezó a doblarla por aquí, a doblarla por allá, a hacerle otra doblez, y otra doblez, y otra, y otra, y ante los miembros del jurado apareció una pajarita de papel.

Los miembros del jurado se rieron de él por haber hecho en un campeonato de papiroflexia algo tan simple como una pajarita de papel.

Entonces sucedió que la pajarita de papel batió las alas y voló por toda la sala.

Los miembros del jurado aún tenían la boca abierta cuando le dieron el primer premio al señor mayor de pelo blanco, bigote blanco y unas gafas blancas en la punta de la nariz.

La sirena y el humano

Tamalinda, la sirena, y Ubaldo, el humano, se enamoraron. Su amor era imposible: Tamalinda, la sirena, era una criatura de la mar; Ubaldo, el humano, era una criatura de la tierra.

Entonces Tamalinda le pidió al Hada Mayor del Mar que la convirtiera en humana para estar siempre al lado de Ubaldo. El Hada Mayor le advirtió de que después no podría arrepentirse y volver a adquirir forma de sirena. Tamalinda accedió, y su cola se convirtió en un par de piernas.

Lo que no sabía Tamalinda era que Ubaldo le había pedido al Hada Mayor de la Tierra que lo convirtiera en un sireno para estar siempre a su lado. El Hada Mayor de la Tierra lo avisó de que después no podría arrepentirse y volver a adquirir forma humana. Ubaldo accedió, y el Hada Mayor de la Tierra transformó sus piernas en una cola de pez.

Ahora Tamalinda era una criatura de la tierra y Ubaldo una criatura de la mar. Su amor seguía siendo imposible.

Tamalinda y Ubaldo se entristecieron. Y, cuando más pesarosos estaban, tuvieron la idea. Acudieron al Hada Mayor del Aire, y le pidieron que los transformara en aves.

Tamalinda y Ubaldo, ya convertidos en dos criaturas del aire, alzaron el vuelo, y volaron muy juntos.

El viaje del río

El río nació entre unas piedras y comenzó a correr. La misión del río era llegar al mar. Pero el río no tenía mapas, ni brújula, y no sabía cómo llegar al mar. Entonces, a lo lejos, a su derecha vio un árbol y se dirigió hasta él. Le preguntó al árbol:

—¿Podrías indicarme por dónde se va al mar?

El árbol contestó:

—Pues no lo sé. Pregúntale a aquella roca de allí.

El río miró a su izquierda y vio la roca. Fue hasta ella y le preguntó:

—¿Podrías indicarme por dónde se va al mar?

—No tengo ni idea —dijo la roca.

El río reanudó la marcha, sin saber muy bien si iba en la dirección correcta. Entonces, a su derecha, vio una ardilla. Fue a su encuentro y le preguntó por dónde se iba al mar, y la ardilla le dijo que no lo sabía. El río reanudó la marcha, y al rato vio a su izquierda una flor, y le preguntó a la flor por dónde se iba al mar y la flor le dijo que no lo sabía.

Y preguntando, preguntando, un día el río logró llegar al mar.

Por eso los ríos no van en línea recta y siguen un camino sinuoso. Porque tienen que ir preguntando a unos y a otros por dónde se va al mar.

El hombre estatua

El mimo se envolvió en una túnica blanca, colocó un pedestal en medio de la calle, se subió a él y permaneció completamente inmóvil, haciendo la estatua para que los transeúntes admirasen lo bien que lo hacía y le dejasen unas monedas en el sombrero. Los transeúntes decían:

—¡Qué bien hace la estatua! ¡No mueve ni un músculo! ¡Ni siquiera parpadea!

En efecto, el mimo estaba absolutamente quieto. Tanto, que algunas personas llegaron a creer que se trataba de una estatua auténtica. Incluso los que, incrédulos, llegaron a tocarle, afirmaron que el cuerpo del mimo era duro como el mármol. Su sombrero se llenó de monedas.

Pero lo cierto es que el mimo nunca había hecho bien la estatua y en su sombrero nunca entraba mucho dinero. Aquel día el mimo hizo bien la estatua porque en la calle hacía tanto frío que el mimo se congeló, y se quedó tieso.

A la mañana siguiente, los rayos del sol lo fueron descongelando. Lo primero que se le descongeló fue el brazo derecho. El mimo alargó el brazo derecho hacia el sombrero y recogió las monedas.

El niño que imaginaba

Aquel niño era el único niño en la aldea. No había ningún otro niño con quien jugar, así que aquel niño se creó un amigo imaginario. Como aquel niño y su amigo imaginario no tenían juguetes, aquel niño se creó una bicicleta imaginaria, y una pelota imaginaria, y un imaginario caballo de cartón.

El invierno estaba siendo muy duro en la aldea, y los padres de aquel niño no le dejaban salir afuera. Entonces aquel niño se imaginó que era verano, y se imaginó que él y su amigo imaginario salían afuera, y se imaginó que corrían por los campos, y se imaginó que cogían fruta madura de los árboles, y se imaginó que iban a bañarse al río.

Y luego aquel niño imaginó que alguien escribiría esta historia, y que alguien la estaría leyendo en este preciso momento.

La vidente

Madame Tutú leía el pasado, el presente y el futuro en las líneas de la mano. Y la verdad es que siempre acertaba el pasado, el presente y el futuro de la persona que había dejado que le leyese las líneas de la mano. Todo el mundo quedaba asombrado de sus dotes.

Un día entró un caballero en su consulta. Madame Tutú lo hizo sentar a su mesa camilla, le pidió que extendiera la mano y se dispuso a leérsela. Pero Madame Tutú no pudo leerle el pasado, ni el presente ni el futuro al caballero. Y no pudo porque el caballero era de Londres, y Madame Tutú no sabía leer inglés.

El indio y la lluvia

El hechicero de la tribu se llamaba *Caballo Loco pero sólo un Poco*. Había recibido el encargo del jefe de propiciar la lluvia, ya que hacía meses que no caía ni una gota de agua. *Caballo Loco pero sólo un Poco* se dirigió a la pradera para efectuar allí la Danza de la Lluvia.

Caballo Loco pero sólo un Poco danzó la Danza de la Lluvia desde el amanecer hasta el ocaso, pero no cayó ni una gota de agua. Totalmente hundido, se sentó en una roca con el rostro entre las manos y entonó un cántico de tristeza. Y *Caballo Loco pero sólo un Poco* cantaba tan mal que se puso a llover, y la tribu lo felicitó efusivamente, y hubo gran alegría.

El lápiz

La mamá de Daniela, tras afilar muy bien el lápiz, se puso a dibujar en un bloc para entretener a la niña, que estaba sentada a su lado. La mamá de Daniela dibujó un león, y después dibujó una mariposa, y luego dibujó un cocodrilo, y luego dibujó un caballo, y luego un avestruz, y luego un perro, y luego dibujó un gato.

La pequeña Daniela pensó: «¡Este lápiz está lleno de animales por dentro!».

Y en un momento en que su madre se ausentó, decidió abrir el lápiz para ver los animales que había dentro. Consiguió romper la madera del lápiz y dejó al descubierto la mina, gris y alargada. La pequeña Daniela dijo:

—Vaya. Dentro del lápiz solamente quedaba un gusano.

El monstruo

El pequeño Marcelo, al poco tiempo de haberse acostado, gritó:

—¡Mamá! ¡Mamá! ¡Hay un monstruo bajo mi cama!

La mamá de Marcelo entró en la habitación.

—¡Hay un monstruo debajo de mi cama! —gritaba Marcelo. Y su madre le dijo:

—Pues claro que hay un monstruo bajo tu cama, Marcelo. Nosotros somos una familia de monstruos. Tu padre es un monstruo. Yo soy un monstruo. Tú y tu hermano sois dos monstruos. Dormís en una litera, y tu hermano duerme debajo. Por eso hay un monstruo bajo tu cama.

Marcelo se tranquilizó, y durmió toda la noche de un tirón.

El tesoro del gigante

El gigante avaricioso era poseedor de un fabuloso tesoro. El gigante custodiaba entre sus grandes manos montones de oro, de diamantes, de esmeraldas, de rubíes y de zafiros.

El gigante tenía un miedo horrible a que le robaran su preciado tesoro. El gigante pensaba: «Si mi tamaño fuera mayor, sería aún más difícil que nadie me arrebatase mi tesoro».

Requirió los servicios de un brujo, quien, a cambio de un saquito de oro, le preparó un brebaje que lo haría crecer durante el resto de su vida.

El gigante bebió de un trago el bebedizo que le vendió el brujo. Y en efecto, siguió creciendo, haciéndose cada vez más grande.

Al ir adquiriendo mayor tamaño, el gigante estaba muy satisfecho, porque con su colosal fuerza impediría que nadie le robase su tesoro.

Pero, con el paso del tiempo, al gigante se le borró la sonrisa de la cara. Al gigante se le borró la sonrisa de la cara porque llegó a hacerse tan grande que su tesoro se quedó minúsculo entre sus enormes manos.

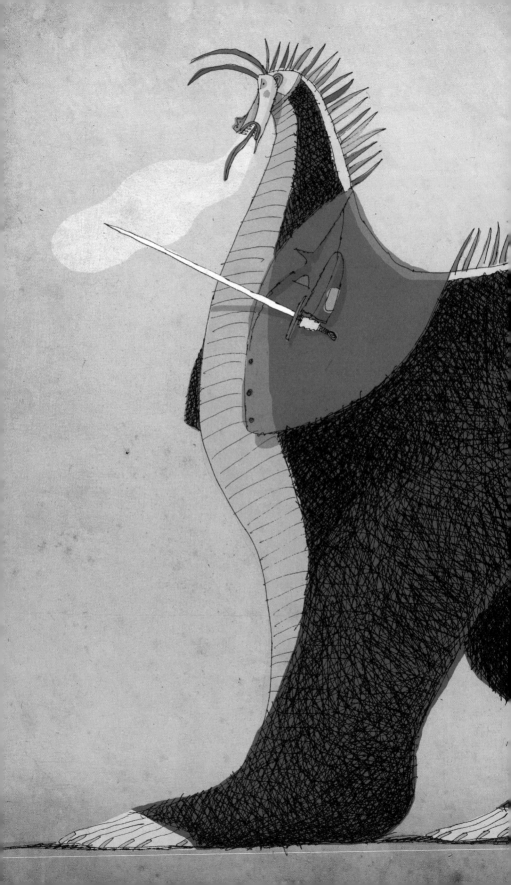

Pastillas de sueños

El famoso científico Von Morfeus, aparte de otros muchos inventos, inventó unas pastillas que provocaban, al ingerir cada unha de ellas, que se soñase un sueño diferente.

Von Morfeus elaboró en total cien pastillas de sueños. Una de ellas era para soñar que volaba. Otra pastilla era para soñar que era el mejor futbolista del mundo. Otra pastilla era para soñar que luchaba contra un pavoroso dragón y lo vencía. Y así hasta cien pastillas que propiciaban cien sueños diferentes.

La primera noche Von Morfeus se tomó la pastilla para soñar que volaba. Y aquella noche soñó que volaba.

La segunda noche se tomó la pastilla para soñar que era el mejor futbolista del mundo. Y aquella noche soñó que era el mejor futbolista del mundo.

La tercera noche se tomó la pastilla para soñar que luchaba contra un pavoroso dragón y lo vencía. Y aquella noche soñó que luchaba contra un pavoroso dragón y lo vencía. Disfrutó mucho con sus sueños a la carta. Pero quería más, y se dijo: «¿Por qué he de conformarme con un solo sueño por noche?».

Y aquella noche se tomó las cien pastillas para tener los cien sueños diferentes.

Y sucedió que aquella noche tuvo pesadillas porque antes de acostarse se tomó cien pastillas, y uno no debe irse a la cama con la barriga llena, porque luego se tienen pesadillas.

El volcán dormido

Desde todo el pueblo se veía, en la lejanía, el volcán dormido. Pablo, desde el balcón de su casa, también veía el volcán dormido.

Un día, del interior del volcán salió un retumbar como de truenos. Pablo, asustado, le dijo a su abuelo:

—¡El volcán se ha despertado!

—No. Está dormido —dijo el abuelo—. Lo que pasa es que a veces ronca.

Entonces el volcán lanzó fuegos artificiales por el cráter que pintaron la noche de colores.

El abuelo explicó a Pablo que aquello eran los sueños del volcán dormido. El volcán dormido lanzaba fuegos artificiales porque sus sueños eran muy alegres.

El Hombre del Saco

Ismael estudiaba mucho en la escuela, y en casa siempre se portaba bien. Sin embargo, su hermano Javier sólo salía de una travesura para meterse en otra.

Sus padres lo amenazaban:

—Como sigas portándote mal, vendrá el Hombre del Saco y te llevará.

Javier no hacía ni caso, y seguía con sus travesuras.

Y un día vino el Hombre del Saco, lo metió en su saco y se lo llevó consigo.

Cuando se enteró Ismael, sus padres le advirtieron:

—¿Ves lo que te sucederá si alguna vez te portas mal?

Después de lo que le había sucedido a su hermano Javier, los padres de Ismael estaban seguros de que el niño nunca haría travesuras. Sin embargo, Ismael, que hasta entonces había sido un niño modélico, agarró unas tijeras y cortó todas las cortinas de la casa, y cortó toda su ropa, y cortó las alfombras.

Al instante el Hombre del Saco vino a por él, lo metió en su saco y se lo llevó. Dentro estaba su hermano Javier. Entonces Ismael, con las tijeras que llevaba, cortó el saco y los dos hermanos pudieron escapar.

Porque para eso Ismael, que siempre había sido un niño bueno, hizo la travesura de las tijeras: para liberar a su hermano Javier del saco del Hombre del Saco.

El arco iris

Aquel día llovió tanto, cayó tal cantidad de agua que los colores de todas las cosas, de todas las plantas, de todos los animales y de todas las personas se diluyeron y desvanecieron. Todo se veía desteñido. Ya nada tenía color.

Tras muchas horas dejó de llover y todos pudieron contemplar con honda tristeza toda aquella monotonía incolora.

Entonces, en el cielo, apareció un imponente arco de siete colores. Y los hombres tomaron aquellos colores para pintar de nuevo el mundo. Tomaron el color naranja para pintar de nuevo las naranjas. Tomaron el color verde para pintar de nuevo la hierba. Tomaron el color azul para pintar de nuevo el mar...

Aquello no ha vuelto a suceder nunca. Pero, por si acaso, desde entonces, siempre que cesa la lluvia aparece en el cielo un arco de siete colores, con los que se podría volver a pintar el mundo.

Colección SIETELEGUAS

© del texto y de las ilustraciones: Pinto & Chinto, 2010
© de esta edición: K.E.A., 2010
Avión Cuatro Vientos, 7 - 41013 Sevilla
Telefax: 954 095 558
andalucia@kalandraka.com
www.kalandraka.com

Diseño de los logotipos de la colección: Óscar Villán.

Impreso en Gráficas Anduriña, Pontevedra
Primera edición: julio, 2010
Segunda edición: diciembre, 2010
ISBN: 978-84-96388-94-9
DL: SE 3073-2010